I Mr Patterson,
a'r sioeau ysgol gorau
erioed!
R.P.

Cyhoeddwyd gyntaf yn Saesneg yn 2013,
gan Macmillan Children's Books, adran o Macmillan Publishers Ltd
20 New Wharf Road, Llundain N1 9RR dan y teitl The Christmas Show.
Cyhoeddwyd yn Gymraeg yn 2013 gan Wasg y Dref Wen Cyf.
28 Heol yr Eglwys, Yr Eglwys Newydd, Caerdydd CF14 2EA.
Testun a lluniau © Rebecca Patterson 2012
Y cyhoeddiad Cymraeg © 2013 Dref Wen Cyf.

Rebecca Patterson

Y SIOE NADOLIG

THE CHRISTMAS SHOW

Addasiad gan Elin Meek

DREF WEN

Rydyn ni'n gwneud Sioe Nadolig!

We are putting on a Christmas Show!

Do'n i ddim yn gwrando
pan roddodd Miss Huws
y rhannau i bawb.
I wasn't listening when Miss Huws gave out the parts.

felly dwi ddim yn
gwybod pwy fydda i.
so I don't know what I am.

Aled a Catrin
sydd âʼr rhannau
MAWR,

Aled and Catrin are the BIG parts.

a Carwyn

ywʼr triongl.

and Carwyn is the triangle.

Dwi'n gwybod nad ydw i'n llefarydd,

I know I'm not a narrator.

neu'n recorder.

or a recorder.

Dwi i fod i ganu rhywfaint,
I'm meant to sing a bit.

ond pryd dysgon ni i ganu'r gân YMA?
but when did we all learn THIS song?

**Dwi ddim yn
Angel Pwysig,**
I'm not the Important Angel.

nac yn Frenin.
or a King.

Dwi ddim hyd yn oed yn
Nawns yr Asynnod!

I'm not even in the Donkey Dance!

Felly yn y sioe yma,
dwi'n credu fy mod i ...

So in this show I think I am almost ...

yn ddim byd, bron.

nothing.

Ond yna mae Miss Huws yn rhoi lliain sychu llestri am fy mhen ac yn dweud mai bugail ydw i!

But then Miss Huws gives me a tea towel for my head and tells me I'm a shepherd!

Rydyn ni'n ymarfer drwy'r prynhawn.

Mae'n cymryd amser hir!

We practise all afternoon. It takes a long time!

O'r diwedd mae hi'n ddydd Iau. Y Diwrnod Mawr!

And now it's Thursday. The Big Day!

Dim DANGOS A SÔN ddydd Iau

Rydyn ni'n colli Dangos a Sôn
er mwyn cael popeth yn barod.
We miss Show and Tell so we can get ready.

Mae hi bron yn amser dechrau'r sioe!

Mae'r Baban Iesu'n barod,

It is almost time for our show!
The Baby Jesus is ready.

mae'r Angel wedi brwsio'i gwallt,

the Angel has brushed her hair.

ac mae gan un o'r recorderau fola tost.

and one of the recorders has a tummyache.

Mae PAWB yma!
EVERYONE is here!

Rydyn ni i gyd yn mynd ar y llwyfan – yn dawel, dim gwthio, plis!

We all go on stage quietly – with no pushing please!

Ac mae'r sioe'n dechrau.

And the show begins.

Dwi'n meddwl ei bod hi'n mynd yn dda, tan ...

I think it is going well, until ...

i mi ganu yn y
LLE ANGHYWIR!
I sing in the WRONG BIT!

Wedyn dwi'n canu yn y lle cywir
ond yn dawnsio'r FFORDD ANGHYWIR!

Then I sing in the right bit but dance the WRONG WAY!

Dwi'n anghofio gadael y llwyfan,

I forget to go off.

ac mae'n rhaid i'r
Angel Pwysig AROS!

and the Important Angel has to WAIT!

Ar ôl y sioe, mae'r Angel yn dweud
NA ddylai RHAI pobl fod mewn sioeau O GWBL!

After the show, the Angel says SOME people should NOT be in shows AT ALL!

Ond does dim ots gen i ...

But I don't care ...

... achos mae Mam-gu'n dweud mai fi oedd Y PETH GORAU yn y sioe!

... because my Granny says I was the BEST THING in it!

LLAWN

Blwch
Gwisgoedd